6 这是我的书 It's MY BOOK

6级：300字

芸儿

作者：程以克（Vicki Cheng）
插图：孔德晴（Deqing Kong）

北京语言大学出版社
BEIJING LANGUAGE AND CULTURE UNIVERSITY PRESS

PHOENIX TREE
PHOENIX TREE PUBLISHING INC.

识　读 说话 请 雨 再见 天上

句　型 请……

字　数 317 字

yún ér zhù zài gāo shān shang tā néng hé bái yún shuō huà ràng
芸儿住在高山上，她能和白云说话，让
bái yún dài tā qù hěn yuǎn de dì fang bú guò yún ér yào
白云带她去很远的地方。不过，芸儿要
zài yì tiān zhī nèi zhǎo dào yí piàn bái yún bǎ tā dài huí lai
在一天之内找到一片白云把她带回来，
rú guǒ huí bu lái tā jiù huì biàn chéng yì kē xiǎo yǔ dī
如果回不来，她就会变成一颗小雨滴。

yì tiān yún ér zuò le gè mèng mèng li yǒu gè nǚ
一天，芸儿做了个梦，梦里有个女

hái yì zhí zài kū yún ér xiǎng qù zhǎo nà ge nǚ
孩一直在哭。芸儿想去找那个女

hái tā duì bái yún shuō qǐng nǐ dài wǒ qù yí
孩，她对白云说：“请你带我去一

gè dì fang
个地方。”

bái yún dài zhe yún ér zhǎo dào le nǚ hái yún ér wèn
白云带着芸儿找到了女孩。芸儿问

tā wèi shén me kū nǚ hái shuō zhè li yí gè yuè
她为什么哭，女孩说：“这里一个月

méi yǒu xià yǔ tián li de hé miáo dōu gān sǐ le
没有下雨，田里的禾苗都干死了，

hěn duō rén dōu shēng bìng le
很多人都生病了……”

yún ér shuō wǒ lái xiǎng bàn fǎ tā tiào shang bái
芸儿说：“我来想办法。”她跳上白
yún fēi dào tiān shang dà shēng de jiào bái yún
云，飞到天上，大声地叫：“白云！
bái yún kuài lái a bái yún men tīng le dōu pǎo
白云！快来啊！”白云们听了都跑
le guo lai
了过来。

dà dì tài gān le nǐ men kuài kuài biàn chéng yǔ ba
“大地太干了，你们快快变成雨吧！”
yú shì dà kuài de bái yún biàn chéng le wū yún huā
于是大块的白云变成了乌云，哗
huā huā de xià qi le dà yǔ dì shang de nǚ hái gāo
哗哗地下起了大雨。地上的女孩高
xìng de xiào le
兴地笑了。

dà yǔ xià le yì tiān tiān shang méi yǒu bái yún le yún
大雨下了一天。天上没有白云了，芸
ér bù néng huí jiā le yào shi ràng wū yún biàn hui bái
儿不能回家了。要是让乌云变回白
yún bú zài xià yǔ tā jiù kě yǐ huí jiā le kě
云，不再下雨，她就可以回家了。可
shì kàn zhe nǚ hái de xiào liǎn yún ér méi yǒu zhè me zuò
是，看着女孩的笑脸，芸儿没有这么做。

yún ér duì zhe gāo shān shang de jiā shuō zài jiàn
芸儿对着高山上的家说：“再见

le huà yì shuō wán tā jiù biàn chéng le yì kē
了！”话一说完，她就变成了一颗

xiǎo yǔ dī bú jiàn le
小雨滴，不见了。

1 芸儿住在高山上，她能和白云说话，让白云带她去很远的地方。不过，芸儿要在一天之内找到一片白云把她带回来，如果回不来，她就会变成一颗小雨滴。

2 一天，芸儿做了个梦，梦里有个女孩一直在哭。芸儿想去找那个女孩，她对白云说："请你带我去一个地方。"

3 白云带着芸儿找到了女孩。芸儿问她为什么哭，女孩说："这里一个月没有下雨，田里的禾苗都干死了，很多人都生病了……"

4 芸儿说："我来想办法。"她跳上白云，飞到天上，大声地叫："白云！白云！快来啊！"白云们听了都跑了过来。

5 "大地太干了，你们快快变成雨吧！"于是大块的白云变成了乌云，哗哗哗地下起了大雨。地上的女孩高兴地笑了。

6 大雨下了一天。天上没有白云了，芸儿不能回家了。要是让乌云变回白云，不再下雨，她就可以回家了。可是，看着女孩的笑脸，芸儿没有这么做。

7 芸儿对着高山上的家说："再见了！"话一说完，她就变成了一颗小雨滴，不见了。

1

2

3

4

5

6

看图讲故事

7